MERCI À LA VILLE DE SAINT-CONSTANT QUI CROIT À LA MAGIE.
MERCI À ÉRIC BOUCHARD POUR SON AIDE PRÉCIEUSE.

Nous reconnaissons l'aide financière du gouvernement du Québec par l'entremise de la Société de développement des entreprises culturelles (SODEC) pour nos activités d'édition. Gouvernement du Québec – Programme de crédit d'impôt pour l'édition de livres – Gestion SODEC.

Nous reconnaissons l'aide financière du gouvernement du Canada par l'entremise du Fond du livre du Canada pour nos activités d'édition.

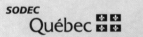 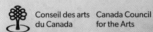

PERRO ÉDITEUR
580, avenue du Marché, suite 101
Shawinigan (Québec) G9N 0C8
www.perroediteur.com

Infographie et révision : Vanessa Vallières
Textes : Bryan Perro
Crédit photo pages 12 et 13 : © iStock (Getty Images)

Dépôts légaux : 2017
Bibliothèque et Archives nationales du Québec
Bibliothèque nationale du Canada
ISBN : 978-2-924637-74-6

Bryan Perro

Le stupéfiant rapport d'études mythologiques, fantastiques et allégoriques du

LAC DES FÉES DE SAINT-CONSTANT

PERR●

MOT DE L'AUTEUR

Quels sont les effets bénéfiques des fées sur nos vies ? Pour moi, les fées, et notamment celles de Saint-Constant, nous invitent à faire partie d'un tout qui dépasse l'anecdote du quotidien. Dans les vicissitudes de la vie moderne, plus personne n'a le temps de faire pousser son blé, s'attarder aux signes de la nature, cueillir ses propres bleuets, faire son sirop d'érable ou encore entretenir son propre jardin. Se pencher sur les fées équivaut donc à revenir aux mystères de la nature qui nous entoure et à revoir la place que nous accordons à la magie du monde. La vie peut sembler bien vide de sens si elle n'est pas enracinée dans une certaine forme de spiritualité, dans une vision plus poétique de l'univers. Voilà ce à quoi les fées nous raccrochent. Voilà pourquoi je crois aux fées de Saint-Constant comme, je crois, à tous les monstres qui peuplent le Québec. J'y crois parce que j'ai envie d'y croire et cette naïveté remplit ma vie d'images, de sens et de beauté.

La radiation est là depuis toujours et, lorsque la science a porté son regard sur le radium, une nouvelle dimension scientifique est apparue. Il est stupide d'attendre la preuve de l'existence d'une chose pour valider sa présence autour de nous. Les réponses sur les grandes questions de notre monde ne se trouvent pas dans la science, mais dans la mythologie. C'est la tradition orale des peuples qui nous renseigne sur l'invisible et l'intangible. Les fées sont là. Elles vibrent simplement sur une fréquence qu'il est impossible à l'homme d'identifier. Il s'agit d'une mesure de protection... comme le caméléon qui se fond dans son environnement et comme un insecte évolue en prenant la forme d'une feuille d'arbre.

Boris Weiss - anthropologue de l'imaginaire

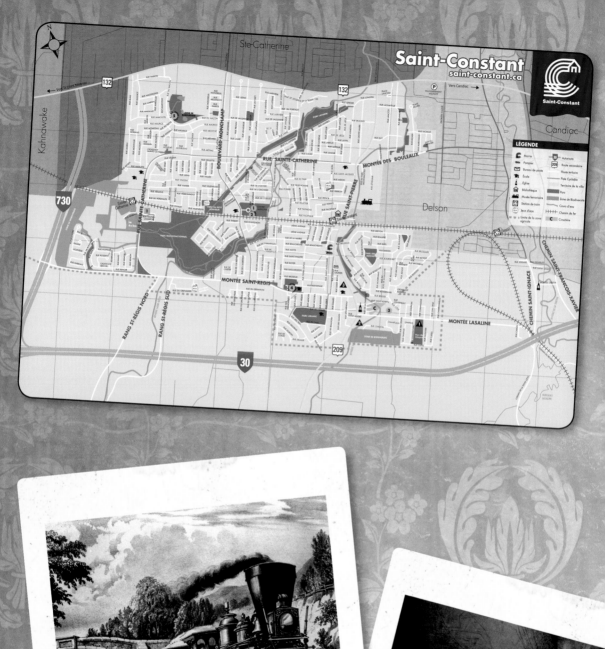

La colonisation de Saint-Constant remonte au milieu du XVIIIe siècle, bien que la paroisse de Saint-Constant-de-la-Prairie-de-la-Magdeleine n'ait été officiellement créée qu'en 1841. Son nom lui vient de Constant Le Marchand de Lignery (1663-1731), officier français célèbre qui arrive au Canada en 1687. Son fils Jacques est responsable de la mission de Saint-Constant durant de nombreuses années. La petite paroisse devient économiquement indépendante lorsque le chemin de fer y fait son entrée dans les années 1850. Grâce aux lignes ferroviaires qui relient New York et Montréal, Saint-Constant et la paroisse voisine de Delson deviennent bientôt des centres ferroviaires importants. Saint-Constant est constituée en tant que municipalité de paroisse en 1855.

L'ENCYCLOPÉDIE CANADIENNE

GRANDS MOMENTS DE L'HISTOIRE DES FÉES DANS LA MYTHOLOGIE EUROPÉENNE.

3000 ans avant l'ère chrétienne, la Terre vit sous le joug des fils de Chronos, les Titans, et des géants. En outre, des hordes de kobolds, de gobelins et de trolls dominent les premiers humains. La Terre est alors un immense champ de bataille où s'affrontent diverses factions de monstres pour le contrôle territorial des continents.

1500 ans avant notre ère, des armées de fées transportées par la lumière du Soleil débarquent sur Terre afin d'y rétablir l'équilibre. Une grande guerre éclate alors entre ces troupes de la lumière et les monstres terriens, forçant ainsi le retrait des kobolds, des gobelins et des trolls jusque dans les profondeurs de la Terre. Les Titans et les géants finissent par être éliminés.

1000 ans avant l'arrivée du Christ, les humains commencent à tisser des liens avec le peuple des fées. C'est ainsi que les hommes apprennent les secrets que recèlent les plantes et qu'ils commencent, notamment en Irlande, à vouer un culte aux forces de la nature. Les druides font leur apparition.

500 ans avant le christianisme, de nombreuses guerres entre clans humains laissent croire aux fées que la race des hommes n'est guère mieux que celles des gobelins et des trolls qu'elles avaient jadis chassés vers les mondes souterrains. Le doute s'installe chez le peuple de la lumière et un grand nombre de fées migrent vers d'autres dimensions.

450 ans après Jésus-Christ, la foi chrétienne se répand rapidement à travers toute l'Europe. L'Homme cesse alors d'écouter et de vénérer les forces de la nature pour se vouer à un nouveau culte : celui de l'Église catholique. Les fées choisissent alors de ne plus se montrer et vivent cachées dans les profondeurs des forêts et dans les montagnes à haute altitude où elles fondent dans le plus grand secret leurs nouveaux royaumes.

En 1922, des fées de la forêt de Cottingley en Angleterre sont prises en photo par les cousines Elsie Wright et Frances Grifflths. Grâce à Sir Arthur Conan Doyle, le célèbre auteur de Sherlock Holmes, qui encourage la publication de ces photos, la présence des fées est révélée au monde moderne qui aura tôt fait de reconnaître leur existence.

UNE DÉCOUVERTE QUI PIQUE LA CURIOSITÉ

Les fées qui peuplent le territoire québécois sont peu nombreuses. Principalement nordiques, elles évoluent sur des territoires normalement inaccessibles aux êtres humains. Seuls les algonquins, dans leurs légendes, témoignent de la présence de fées, notamment grâce aux pierres qui tapissent le fond de la rivière Harricana et dont les formes sont une manifestation directe de la présence de ces protectrices de la nature. Ces pierres typiques de la région de l'Abitibi ont la particularité d'être aplaties, un peu à l'image d'un galet, mais présentent deux faces bien distinctes. L'une est lisse et sans défaut et l'autre est composée de renflements, parfois même de fossiles, et se déploie dans de jolies formes rondes. Ces pierres sont le résultat de l'énergie déployée par les fées lorsqu'elles se lancent dans leurs célèbres rondes.

Cette pierre, que l'on nomme également calcite des fées, était un élément prisé des chamans des premières nations. Ceux-ci s'en servait pour prédire la température, nourrir leurs visions et communiquer plus facilement avec les esprits de la nature. Elle était considérée aussi comme une pierre de protection et d'abondance, mais servait aussi de talisman contre les mauvais esprits. Par cette pierre, il était possible aux chamans de se reconnecter avec les forces vives de la nature et d'entrer en contact avec leur animal totem.

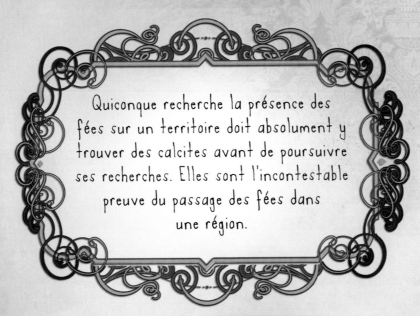

Quiconque recherche la présence des fées sur un territoire doit absolument y trouver des calcites avant de poursuivre ses recherches. Elles sont l'incontestable preuve du passage des fées dans une région.

Et les preuves sont abondantes, surtout autour de l'ancienne carrière devenue un lac artificiel.

UNE SECONDE PREUVE : LES CERCLES DE FÉES

Les fées sont connues et reconnues pour leur pratique magique de la danse, qu'on appelle plus spécifiquement « la ronde des fées ». Ce procédé, exécuté principalement comme méthode de protection contre des ennemis, leur sert également à puiser leur subsistance des forces telluriques. Il en résulte alors des cercles de fées qui sont de petites aires circulaires sans aucune végétation, généralement de forme ronde, dont les apparitions font penser à la marque que l'on attribue à l'atterrissage de soucoupes volantes. Ces cercles, nombreux en Afrique australe et en Australie, ont souvent été attribués aux conséquences d'une pluie de météorites, à la radioactivité ou à un sol toxique riche en gaz rare, mais les dernières études montrent très clairement la présence d'une énergie nouvelle, instable et volatile, capable de faire fondre les pierres.

De ces cercles où la terre semble brûlée très profondément naissent quelques années plus tard des ronds de sorcière, c'est-à-dire une colonie de spores elles aussi dans une forme circulaire. Il n'est pas rare de voir ensuite pousser un chêne précisément au centre de de ce rond, un arbre où les druides celtes cueillaient les éléments nécessaires à leurs préparations médicinales.

Encore une fois, nous avons remarqué la présence de nombreux cercles de fées autour de l'ancien Lac Lafarge, ce qui nous porte à croire à une présence féérique abondante sur les rives et la forêt environnante.

Une nuit, il y a de nombreux siècles, dans le petit village médiéval de Cabestan, est tombée une pluie de feu. Devant cet événement inexpliqué, les habitants se sont rués à l'église afin de demander secours à leur prêtre. Celui-ci, croix de bois dans une main et eau bénite dans l'autre, est monté jusqu'en haut du beffroi afin de confronter l'ennemi derrière ce phénomène extraordinaire, c'est-à-dire le diable! En ces temps reculés, toutes les manifestations inexplicables étaient automatiquement accolées à Lucifer ou l'un de ses démons. Eh bien, après quelques minutes de prières, le feu qui tombait du ciel s'est éteint et le curé fut couvert d'éloges et considéré comme un héros! Bien plus tard, avec l'évolution de la science, nous avons découvert que le diable n'y était pour rien dans ces manifestations, mais que c'était simplement une pluie d'astéroïdes !

Je suis comme ces crédules imbéciles moyenâgeux lorsque je parle des fées, ou je suis en avance sur mon temps ! Pour plaider ma cause, j'ai la conviction qu'il existe dans notre monde une dimension demeurant invisible à notre regard parce qu'elle ne vibre pas à la même fréquence. Il s'agit d'un monde sans matérialité, mais je vous assure qu'il existe bel et bien. Pour l'instant, je suis incapable de prouver scientifiquement son existence, mais vous en trouverez des traces dans le mythe d'Osiris et dans Le grand livre des morts des anciens égyptiens.

Boris Weiss - Traité sur les mondes invisibles.

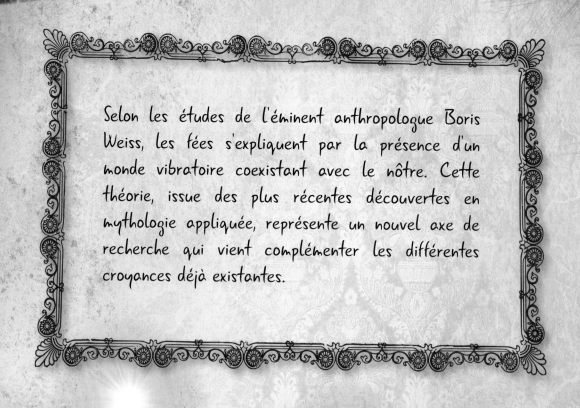

Selon les études de l'éminent anthropologue Boris Weiss, les fées s'expliquent par la présence d'un monde vibratoire coexistant avec le nôtre. Cette théorie, issue des plus récentes découvertes en mythologie appliquée, représente un nouvel axe de recherche qui vient complémenter les différentes croyances déjà existantes.

Chez les grecs anciens, la théorie Hadès, liée au Dieu de la mort, présente les fées comme des âmes errantes détachées de leurs corps et dont la présence sur terre est dépendante de la bonne volonté des dieux à les rappeler. Sous forme de lumières, elles accompagnent les faunes dans leurs activités quotidiennes et s'occupent de les rendre invisibles aux yeux des humains.

Pour d'autres, notamment dans les cultures celtiques, les fées occuperaient le rôle d'espionnes qui communiquent aux dieux les agissements des humains. C'est ainsi que les divinités du monde naturel se trouveraient informées quotidiennement des mouvements des nomades, des guerres de clans, des traités commerciaux ainsi que des voyages exploratoires d'aventuriers en quête de découvertes.

L'une des théories les plus en vogue propose l'ouverture d'une porte druidique entre deux mondes, celui des hommes et celui du petit peuple. Grâce à leurs connaissances approfondies de la nature, les Druides auraient réussi à établir un contact psychique avec les fées, lequel aurait ensuite évolué vers une sincère amitié. Ainsi, on dit que, deux mille ans avant le calendrier judéo-chrétien, une importante migration de fée, de korrigans et de lutins a déferlé sur l'Irlande, leur porte d'entrée, pour ensuite envahir toutes les forêts terriennes.

Vers le soleil levant, les fées ne seraient, ni plus ni moins, que les réminiscences des premiers êtres humains ayant foulé le sol de la Mongolie et de la Chine. Ces premières âmes auraient aujourd'hui la mission de protéger la terre afin que les peuples de ces contrées puissent profiter des bienfaits de la nature.

Pour les adeptes de la théorie Gaïa, celle qui prétend que la planète Terre est un organisme vivant, les fées seraient des créatures directement en lien avec Mère Nature et elles occuperaient une fonction bien réelle dans la spiritualité de la faune et de la flore.

LA PRÉSENCE DISCRÈTE DES FÉES
SUR LES TERRES D'AMÉRIQUE

Dans les temps anciens, vivaient sur la terre du grand esprit Anish-Nah-Bé des animaux qui parlaient entre eux, communiquaient comme des humains, mais vivaient en paix les uns avec les autres. Grâce aux bénéfices de la nature, entretenue par les serviteurs du grand esprit, ils n'avaient pas besoin de se dévorer les uns les autres pour survivre. Ainsi, le loup et le lièvre partageaient la même couche, l'ours jouait avec le saumon dans les eaux des rapides des rivières et l'aigle mangeait des fruits, tout comme le lynx, le renard et la couleuvre.

Dans ce paradis de paix et de beauté, seules les fées, au service du grand esprit, travaillaient sans relâche pour stimuler les plantes, faire croître les champignons et offrir des fruits gorgés de saveur aux habitants de la terre. Chaque arbre avait sa propre fée pour le protéger. Chaque plante jouissait aussi de sa gardienne et toutes les fleurs resplendissaient grâce aux pouvoirs de ces petites créatures de lumière directement tombées du soleil à la Terre afin d'embellir la vie.

Puis un jour, un banal accident issu d'une simple distraction d'une unique petite fée fit tout s'écrouler. Alors que les animaux se prélassaient sur le bord d'un fleuve, un élan au panache immense devint subitement désorienté après avoir mangé un champignon vénéneux.

Mal conseillé par cette fée distraite, le gros quadrupède devint fou et fonça tête baissée sur ses compatriotes animaux. La couleuvre, désirant avertir ses petits, hurla en ouvrant grand la bouche, ce qui fit sursauter un mulot qui lui tomba malencontreusement entre les dents. La couleuvre, incapable de le recracher, dut se résoudre à l'avaler. Le rat des champs voulut tout de suite venger la mort de son cousin et attaqua la couleuvre! Aussitôt, cédant à la panique générale, la grenouille goba deux mouches, le renard sauta sur le lièvre, l'ours attaqua un saumon et tous les animaux de ce paradis terrestre commencèrent à se dévorer les uns les autres.

Devant autant de barbarie spontanée, le Grand Esprit fit s'abattre sur la terre un grand déluge. Les fées, incapables de survivre longtemps sous l'eau, se réfugièrent sous la terre ou dans des grottes profondes. Certaines survécurent aussi sur les sommets de plusieurs montagnes épargnées par l'eau.

Les animaux qui survécurent continuèrent à se dévorer les uns les autres pendant que le Grand Esprit offrait la Terre aux hommes, sa nouvelle création. Les fées des premiers jours, quant à elles, demeurèrent sous terre dans les Amériques et construisirent leurs demeures loin des hommes et des animaux, terrifiées par la puissance du grand esprit. Pendant qu'à travers le monde elles évoluèrent chacune à leur façon, le petit peuple demeura très discret sur le nouveau continent, devenant même hostile aux autres formes de vie.

Cette histoire tirée de la mythologie algonquine explique certainement pourquoi les fées sont absentes des contes populaires et des légendes amérindiennes de nombreux peuples des premières nations.

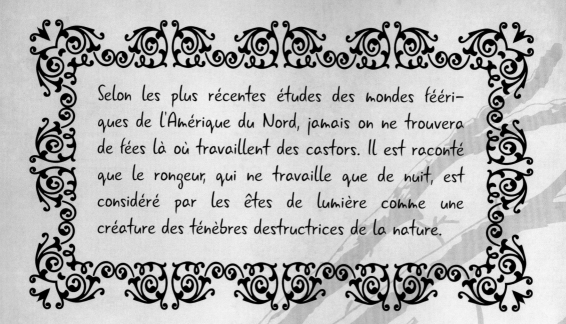

Selon les plus récentes études des mondes féériques de l'Amérique du Nord, jamais on ne trouvera
de fées là où travaillent des castors. Il est raconté
que le rongeur, qui ne travaille que de nuit, est
considéré par les êtes de lumière comme une
créature des ténèbres destructrices de la nature.

Mathew Mukash, Cri de la Baie-James, raconte en 1971 :

« Le castor travaille toute la nuit
et construit son œuvre de roseaux,
de branches, de boue et de sable.
De ce fait, sans le soleil, il ne vit
pas très longtemps, car jamais aussi
il ne se repose.

À cause de lui, les joyeux petits ruisseaux disparaissent et deviennent
d'immondes flaques d'eaux stagnantes. Ces eaux repoussantes attirent les
rampants de toutes sortes comme les larves, les limaces, les moustiques,
les crapauds et les vers. Ce seront les nouveaux voisins du castor, des voisins avec qui il partagera les ténèbres. Plus de chevreuils pour boire, plus
d'orignaux pour profiter de la pureté de l'eau, plus d'aigles et d'éperviers
pour s'en abreuver et plus de loups non plus pour y fonder une famille. De
l'eau vivante à l'eau morte, le castor est un tueur d'eaux vives.

Là où la nature était rieuse et joyeuse, où l'eau était enjouée, le castor aura tout détourné. La bête coupe les chemins rêvés des voyageurs de la vie afin de détourner en sa faveur, pour ses propres besoins, en construisant des barrages qui ne serviront qu'aux créatures de son propre sang.

Comme les fées sont des êtres de la nature joyeuse, de la vie agitée et de la croissance, il est de notre avis qu'elles sont incompatibles avec un animal aussi égocentrique et ténébreux que le castor.

Leurs tendances naturelles à vouloir s'éloigner de cette bête est indéniablement l'une des raisons pour laquelle les fées sont peu présentes dans les forêts du Québec et qu'elles s'éloignent des rivières et des lacs, des terreaux fertiles à la propagation de cet animal. Inversement, ceci confirme leur présence près des cours d'eau vive et des rapides comme l'Harricana où on retrouve de nombreuses pierres de fées.

À une époque où le castor, bien avant l'arrivée de l'homme blanc, pullulait sur tout territoire, il n'est pas surprenant de constater, pendant plusieurs siècles, la très grande timidité des fées. »

La difficulté des recherches sur les peuples n'ayant pas développé l'écriture est d'établir la concordance des histoires et la véracité des faits. Dans une société de tradition orale, il faut creuser les contes et les légendes pour voir apparaître des tendances historiques et peut-être même quelques vérités bien cachées.

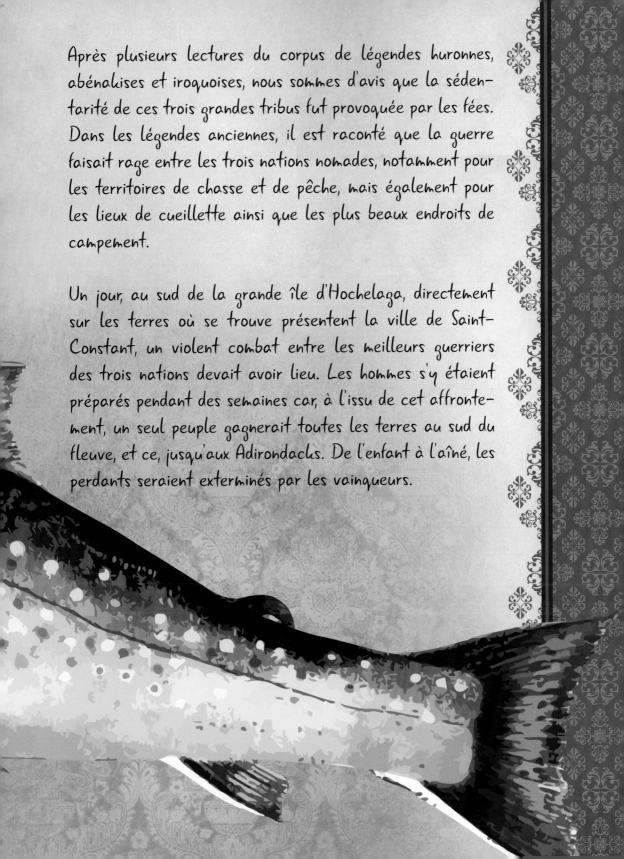

Après plusieurs lectures du corpus de légendes huronnes, abénakises et iroquoises, nous sommes d'avis que la séden- tarité de ces trois grandes tribus fut provoquée par les fées. Dans les légendes anciennes, il est raconté que la guerre faisait rage entre les trois nations nomades, notamment pour les territoires de chasse et de pêche, mais également pour les lieux de cueillette ainsi que les plus beaux endroits de campement.

Un jour, au sud de la grande île d'Hochelaga, directement sur les terres où se trouve présentent la ville de Saint- Constant, un violent combat entre les meilleurs guerriers des trois nations devait avoir lieu. Les hommes s'y étaient préparés pendant des semaines car, à l'issu de cet affronte- ment, un seul peuple gagnerait toutes les terres au sud du fleuve, et ce, jusqu'aux Adirondacks. De l'enfant à l'aîné, les perdants seraient exterminés par les vainqueurs.

C'est alors que, au moment où les armes s'élevaient dans le ciel et les cris de guerre retentissaient dans la plaine, le temps s'arrêta !

Il est raconté que des milliers de petites étoiles, normalement au ciel, jaillirent de la terre pour danser autour des guerriers, maintenant paralysés. Une femme tout en lumière se présenta à eux. Toujours immobilisés par une force incompréhensible, les guerriers assistèrent à une scène surréaliste.

L'apparition lumineuse, les mains pleines de grains, laissa tomber au sol du blé, de l'orge, du maïs et une multitude d'autres céréales. Elle accéléra les jours et les saisons, et les tribus virent pousser en temps réel, partout autour d'eux, cette abondante nourriture. Plus besoin de se déplacer sur de longues distances pour suivre les troupeaux, pour pêcher et chasser, pour fuir la famine ou des ennemis. Les Abénakis, Hurons et Iroquois n'auraient plus qu'à cultiver la terre et vivre en paix.

La dame lumineuse leur enseigna la fabrication de la bannique ainsi que toutes les autres possibilités qu'offrait le grain. Figés pendant près d'un an dans le temps, les guerriers recouvrèrent enfin leur liberté de bouger. Ils avaient perdu quatre saisons de leur vie, mais avaient gagné un savoir inestimable pour les générations à venir.

C'est ainsi que, grâce à la reine des fées des terres de Saint-Constant, les tribus nomades devinrent sédentaires et purent se développer. C'est ce que les récits croisés de tradition orale de ces trois nations nous portent à croire.

CETTE FÉE BIENFAITRICE ÉTAIT-ELLE LA PREMIÈRE DAME BLANCHE D'AMÉRIQUE ?

La question mérite d'être posée car, à l'origine de ce mystère, la Dame blanche était plutôt un fantôme errant dans un château et attachée à une famille. Ainsi, les tout premiers témoignages de la Dame blanche viennent d'Allemagne, où l'on dit que la Dame blanche est en fait la Fée Mélusine. Elle apparaissait dans le château quand un membre de sa lignée devait mourir. Elle est aussi une familière des de Neuhaus et de Rosenberg, auxquelles elle apparaît pour annoncer une naissance ou un décès dans la famille.

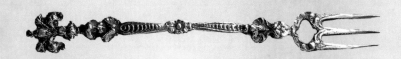

En France, une Dame blanche errerait dans le château de Pouancé, datant du XIIᵉ siècle et situé dans le Maine-et-Loire. Elle serait le fantôme d'une femme qu'un mari jaloux aurait emmurée vivante dans le château, en l'attachant sur une chaise devant une table où étaient posés des couverts d'argent. D'ailleurs le marquis de Preaulx, qui y vivait à la fin du XVIIIᵉ siècle, nota dans ses chroniques que l'on avait retrouvé le squelette d'une femme dans une pièce.

Tout y était :
la table, la chaise
et les couverts
d'argent.

LE MONDE DES FÉES
ET LA THÉORIE DES CORDES

Selon la théorie des cordes, notre monde, apparemment tridi-mensionnel, ne serait non pas constitué de trois dimensions spatiales, mais de 10, 11, ou même 26 dimensions. Sans ces dimensions supplémentaires, la théorie s'écroule. En effet, la cohérence mathématique impose la présence de dimensions supplémentaires. La raison pour laquelle elles restent invisibles est qu'elles seraient enroulées par le procédé de la réduction dimensionnelle à une échelle microscopique, ce qui ne nous permettrait pas de les détecter.

En effet, si on imagine un câble vu de loin, celui-ci ne représente qu'une droite sans épaisseur, un objet unidimen-sionnel. Si l'on se rapproche assez, on s'aperçoit qu'il y a bien une deuxième dimension: celle qui s'enroule autour du câble! D'après la théorie des cordes, le tissu spatial pourrait avoir de très grandes dimensions comme nos trois dimensions habituelles, mais également de petites dimensions enroulées sur elles-mêmes.

Voilà précisément où se cache le monde des fées. Il est dans cette autre dimension bien enroulée autour de la nôtre, mais dont seuls ces êtres de lumière auraient les clés pouvant ouvrir la porte entre notre matérialité et la leur.

LA TERRE ÉTRANGE
DE SAINT-CONSTANT

Les récits des Jésuites, l'une des premières traces historiques
des récits de la Nouvelle-France, racontent l'étrange histoire
d'une Amérindienne dont la fille aurait été volée par les fées
de Saint-Constant. Une vieille parle d'une jeune femme iroquoise
qui, ravie de la naissance de sa fille et désirant la protéger d'un
chaman en qui elle n'avait pas confiance, décida de la soustraire à
la traditionnelle cérémonie à la lune. Cet important rituel devait
s'exécuter à la première pleine lune suivant la naissance de
l'enfant mais, au lieu de se conformer aux rites ancestraux,
la nouvelle mère se rendit camper seule avec son
poupon dans les bois.

C'est en pleine nuit, alors qu'elle était loin des siens, que la jeune mère fut attaquée par de petites lumières émergeant de la terre partout autour d'elle. Dans une ronde folle, les fées capturèrent sa fille et se volatilisèrent avec l'enfant. Paniquée, la femme revint vers les siens. Après avoir écouté son récit, le chaman, accompagné de ses meilleurs guerriers, décida de se rendre au campement de la pauvre mère pour mener l'enquête.

Quelle ne fut pas leur surprise de trouver, à l'endroit même de l'apparition des lumières, un gigantesque cercle de terre et de forêt brûlées! En son centre, une femme dans la fleur de l'âge et habillée de vêtements d'écorce les attendait.

« Vous
direz à ma mère
que je vais bien, dit-elle au
chaman. Je suis l'émissaire des
esprits de la nature et ceux-ci vous
demandent de quitter ce territoire, de
ne plus y chasser, d'en aucun cas en
transgresser les frontières et de ne plus
déranger les forces qui sommeillent
dans ses profondeurs. Le rituel à lune
n'ayant pas été en ma faveur, je
n'appartiens plus au monde
des hommes. »

Le chaman et les guerriers se retirèrent en promettant de quitter le territoire.

Il est dit que, pendant des siècles, les terres de Saint-Constant furent abandonnées par les premiers peuples. Il est aussi raconté que l'esprit d'une femme, une puissante créature de la nuit, veille au maintien de cette promesse, une promesse tenue par les Amérindiens, mais jamais prononcée par les colonisateurs européens.

LA SORCÉE ROUGE, PROTECTRICE DES TERRES DES FÉES

Selon nos recherches, l'enfant de la jeune mère amérindienne, devenue protectrice du territoire, est maintenant une créature mythique dont il ne faut pas défier l'autorité. Anciennement vêtue d'écorces et de feuillage, celle-ci apparaît aux hommes dans une robe vaporeuse d'un rouge aussi éclatant que la couleur des feuilles des arbres à l'automne. Sa peau, blanche comme la neige, la rend très difficile à percevoir l'hiver. Les légendes racontent que ses yeux sont comme des tisons ardents, que ses lèvres sont vert pâle comme les jeunes pousses du printemps et qu'elle a les dents acérées de la marte. Les intrus qui marchent sur les terres interdites du royaume des fées se retrouvent souvent capturés dans le manteau rouge de la créature et sont retrouvés, comme racontent les légendes, complètement vidés de leur sang.

Souvent confondue avec le diable par les coureurs des bois, cette dame rouge est à l'origine des arbres à la sève d'hémoglobine qui poussaient, autrefois, sur la terre étrange de Saint-Constant.

LE SABBAT DU BOIS DE SAINT-CONSTANT

Chaque phénomène mythologie ou fantastique est toujours interprété par la lorgnette de la culture du témoin. Toutes les nations ont leurs symboles et disposent de leur propre façon d'interpréter le monde. Ce témoignage fait partie des nombreux récits de coureurs des bois où l'action se situe sur la terre étrange de Saint-Constant. La Sorcée y est vue en tant que manifestation diabolique.

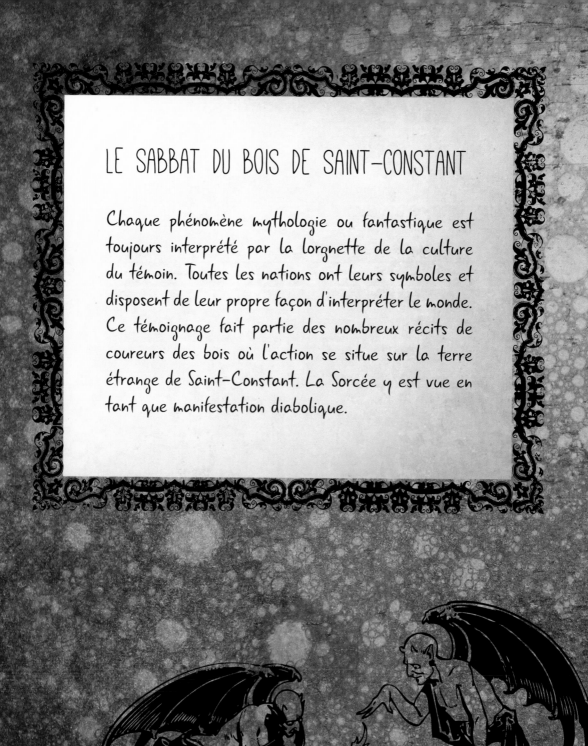

« C'était dit que, dans le temps du grand-père de mon grand-père, pis peut-être aussi de son grand-père à lui, qui sait, qu'il y avait sur les basses terres de la rive sud un coin qu'il ne faillait pas traverser, au risque de ne jamais en revenir. C'était comme un peu comme la forêt de Sartigan en Beauce, mais y'avait pas de jarrets noirs là-bas. Rien que du rouge! Du rouge comme le sang.

Les coureurs des bois savaient qu'il y avait du sabbat de jacks mistigris ou je ne sais pas trop quoi! On disait que c'était un espace de trente acres de superficie qu'avait la forme d'un rond. Rond comme le cul d'une poêlonne en fonte! À cette place-là, la nature présentait juste des bouleaux rabougris et quelques aulnes qui poussaient malade. On disait qu'il y avait quelque chose de pas sain dans la terre, comme une infection, des affaires en dormance.

Un jour, y'a un gars plus fanfaron que les autres, un métis qui avait peur de rien, même pas des Iroquois parce qu'y parlait leur langue, qui est allé voir des étranges lumières qui tournaient dans tous les sens.

Quand y est parti, y'était dans la fleur de l'âge. Ben quand y'est revenu, y devait avoir un bon quarante ans de plus. Je te mens pas: y'avait l'allure pis la face d'un vieillard. Y'avait autant de plis que moi dans la face! Y'a raconté avoir assisté à un sabbat de sorcière, avec la reine, la fameuse Sorcée des bois. La lumière sortie de la terre s'était emparée de son esprit pour le rendre presque fou. "J'ai vu la femme du diable", qu'il disait! "Je l'ai regardée dans ses yeux de braise, qu'il racontait, pis si je suis encore en vie, c'est parce qu'elle veut que je dise de pu jamais aller là-bas et de la laisser vivre en paix."

C'est l'histoire que j'ai entendue.
(Montrant une pierre de fée à l'interviewer :)
Pis ça, c'est la preuve qu'il y avait quelque chose là d'étrange...
Ça a fait fondre la pierre. »

Armand Gilbert Dupuy, 72 ans
Faubourg à la Mélasse, 1962

La Grande Paix de Montréal de 1701 va permettre à la colonisation de s'étendre au sud-ouest de La Prairie, car la menace iroquoise est maintenant écartée. C'est le point de départ de l'aventure des colons canadiens-français sur le territoire de Saint-Constant.

« S'aller établir en pleine forêt, où la nuit, parfois, l'on rêve de spectres et d'arbres en marche, comme aux tragédies d'Eschyle ; où le jour, à la hache, on lutte sans relâche pour l'abri et pour le feu, pour la lumière et pour l'espace. [...] Hanter une hutte en "pieux debout" [...] vivre de chasse, de fruits et de racines sauvages [...] n'escompter qu'une industrie foraine, la cendre des bois abattus convertie en potasse ou en perlasse [...] sentir maintes fois son cœur étreint par l'isolement, loin du marchand, loin du médecin, loin du prêtre. »

ÉLISÉE CHOQUET
CENTENAIRE DE LA PAROISSE DE SAINT-ISIDORE,
COMTÉ DE LA PRAIRIE, S.L., COMITÉ ORGANISATEUR,
1934. P. 10.

UNE PAGE D'HISTOIRE

En 1744, l'évêque de Québec ordonne la construction d'un noyau paroissial sur la côte Saint-Pierre. Et le 8 décembre de la même année, des habitants donnent huit arpents de superficie pour que ce village de Saint-Constant puisse voir le jour. C'est par ce geste fondateur

que le village est né, et c'est ce que considéraient les gens qui ont dessiné les armoiries de la Ville en y plaçant un pont qui rappelle Mgr de Pontbriand, l'évêque en question.

Cependant, tout ne va pas pour le mieux car, même si tous doivent contribuer à la construction de l'église, certains rechignent. Ils la voudraient sur la côte Saint-Ignace, plus à l'est. Le 6 juillet 1749, l'évêque envoie même une circulaire demandant de finir les bâtiments paroissiaux et de contraindre les récalcitrants. L'église sera bénie le 16 juillet 1750 par Louis Normant du Faradon, vicaire général de Montréal et supérieur des Sulpiciens, seigneurs de Montréal, et en présence du Révérend père de Saint-Pé, supérieur des Jésuites à Montréal.

ÉRIC BOUCHARD,
COLLABORATEUR

Les premières familles euro-péennes s'établissent à Saint-Constant en 1725. Vingt-cinq ans plus tard, la paroisse de la côte Saint-Pierre est créée et une chapelle y est érigée. À l'époque, ces terres appartenaient à la seigneurie du Sault-Saint-Louis.

Selon une légende locale, en 1750, lors de la bénédiction de la chapelle, on nomme celle-ci en l'honneur de Saint-Constant afin de commémorer la mémoire de Constant Le Marchand de Lignery, père du curé de la paroisse voisine de la Nativité-de-la-Sainte-Vierge. Ce curé, M. Jacques Le Marchand de Lignery, apprécié des paroissiens, était une figure légendaire sur un large territoire qui incluait les concessions les plus éloignées comme Saint-Constant et Saint-Philippe.*

* http://histoire-du-quebec.ca/st-constant

EXTRAIT DU JOURNAL DE PAULO CONSTANTO DO LISBOA
(traduit librement du portugais)

Le monde des esprits est compliqué! Celui-ci nous semble mystérieux et donne lieu à toutes sortes de théories fondées le plus souvent sur des dogmes religieux, des traditions, des concepts philosophiques ou spiritualistes.

Il est difficile d'en avoir une connaissance précise si nous sortons des descriptions et enseignements qui sont donnés dans la Bible, la Parole écrite et inspirée de Dieu, le fondement sûr et solide de la foi. En étudiant les Écritures au sujet du monde surnaturel, nous apprenons qu'il existe des myriades d'êtres invisibles, des esprits classés en deux camps : celui de Dieu et celui de Satan.

Dans ces deux camps, il y a une hiérarchie. Il y a des archanges, des anges, des chérubins et des séraphins, pour ce qui concerne le royaume de Dieu. Pour la seconde catégorie, sur laquelle le diable règne, il y a des princes, des dominations, des autorités et des esprits méchants.

Ma voie est claire...

Les soldats de la parole divine ne se défilent pas devant la menace. Aujourd'hui, je vais à la rencontre de mon destin.

Le diable, qu'on appelle ici « la Sorcée », ne triomphera pas!

L'EXORCISTE PAULO CONSTANTO DO LISBOA

Les véritables motivations qui poussèrent cet exorciste, appelé en secret entre 1744 et 1749, à visiter la nouvelle colonisation sont aujourd'hui connues. Devant les pouvoirs de la Sorcée Rouge, protectrice des fées, la cause principale de retard dans l'établissement d'une communauté signifiante, l'évêché se résolut à demander l'aide de l'un des plus grands et vertueux chasseurs de démon du Vatican.

C'est ainsi que Paulo Constanto do Lisboa, jésuite portugais du Mosteiro dos Jerónimos dont le nom de Constanto fut donné en l'honneur du dominicain Constant Servoli, un bienheureux frère prêcheur, arriva discrètement par une nuit sans lune au presbytère du curé Jacques le Marchand de Lignery.

L'exorciste, dormant le jour et ne sortant que la nuit pour accomplir ses recherches, étudia pendant plusieurs mois le phénomène de la Sorcée rouge afin de se préparer correctement à l'affronter. Petit, âgé et possédant un regard vif et clair, Paulo Constanto do Lisboa était un érudit dans le domaine du surnaturel et des manifestations des esprits du mal. Parlant couramment une douzaine de langues en plus du latin et du grec, celui-ci avait comme livre de chevet des œuvres comme *La clavicule de Salomon* (conservée à la bibliothèque de Saint-Constant) ainsi que le *Petit Albert* et le *Grand Albert*. Tous les secrets des sorciers et des êtres surnaturels lui étaient donc connus.

Le Grand Albert et le Petit Albert, deux fameux traités de magie noire et de sorcellerie, doivent être considérés comme des ouvrages dont la lecture n'est pas sans danger : ils s'adressent de préférence aux initiés.

Les Clavicules de Salomon sont attribuées selon les auteurs à Agrippa, Salomon ou Albert. Le terme de clavicule signifie « petite clé » et est utilisé alors comme passeport obligatoire pour accéder à la science secrète, à la connaissance et aux richesses. La Grande Clavicule de Salomon était le grimoire que tous les sorciers et magiciens se devaient d'avoir et a fait sa première apparition vers les XIe-XIIe siècles. On disait l'ouvrage écrit par Salomon lui-même et il était censé contenir tous les secrets des Égyptiens.

Loin d'être rachitiques, les bois étaient épais, composés d'arbres forts, de troncs séculaires qui ne laissaient filtrer que peu de lumière. Un univers mystérieux convenant aux esprits du mal.

PAULO CONSTANTO DO LISBOA

Par une journée d'automne particulière froide, l'exorciste s'enfonça dans la forêt. Au cœur de celle-ci se trouvait le campement de la Sorcée, dans une clairière entourée d'arbres rachitiques. Avec la ferme intention de la déloger, crucifix en main, eau bénite à la ceinture et chapelet autour du cou, l'homme de foi regarda une dernière fois la communauté qu'il devrait protéger, puis réchauffé par la vision, pénétra le royaume du mal.

Ce n'est que trois jours plus tard que Paulo Constanto do Lisboa réapparu ensanglanté, une robe rouge en lambeaux autour du cou. Dans un combat physique et spirituel impossible à décrire, l'exorciste avait lutté à mains nues contre la Sorcée pour enfin arriver à la vaincre. Celui-ci raconta dans ses mémoires, regroupés dans la collection des livres rares de la bibliothèque centrale de Lisbonne, que c'est en arrachant la robe de la Sorcée que la créature maléfique avait enfin perdu beaucoup de force dans ses pouvoirs et que son esprit s'était enfin échappé. Afin qu'elle ne revienne jamais, l'exorciste moribond brûla la robe.

Soyez sobres, veillez. Votre adversaire, le diable, rôde comme un lion rugissant, cherchant qui il dévorera.

1 PIERRE 5:8

La gardienne de la terre maudite grandement diminuée, les fées se retirèrent encore plus profondément dans le sol afin d'y établir, en complète autarcie, leur royaume.

TROIS MÉTHODES POUR OBSERVER LES FÉES

LA PIERRE PERCÉE — MÉTHODE BRETONNE

L'expérience doit être menée à la pleine lune, la veille du solstice d'été, et se faire à travers une pierre de fées percée en son centre. En rapprochant la pierre de l'œil, il est possible, en battant rapidement des paupières, de voir par son trou les traces lumineuses laissées par le passage des fées.

LA MÉTHODE NATURELLE — MÉTHODE IRLANDAISE

Pour faire un piège à fée et réussir à en capturer une, il faut mettre quatre grains de blé disposés sur un trèfle à quatre feuilles. La combinaison du blé et du trèfle provoque le désir d'une fée de se mettre directement au centre afin de rayonner, pendant quelques secondes, de tous ses feux. Sans qu'on comprenne exactement pourquoi les petites créatures agissent ainsi, les expériences menées furent pour la plupart concluantes.

L'ONGUENT — MÉTHODE SCANDINAVE

Dans un mortier, piler une poignée de trèfles à quatre feuilles. Ajouter de l'huile de rose, de préférence la plus pure possible, et laisser infuser pendant exactement sept minutes. Filtrer la mixture et la laisser reposer dans un récipient opaque. Une fois l'onguent légèrement figé, l'étendre autour des yeux, sur les paupières.

VINLAND, LA DÉCOUVERTE DES VIKINGS

Plusieurs grandes histoires tirées des sagas nordiques font la narration du voyage extraordinaire du capitaine de drakkar Bjarni Herjolfsson. Le considérant comme le premier véritable Européen à toucher les terres de l'Amérique du Nord, les historiens scandinaves lui attribuent un passage tumultueux d'une année dans le fleuve St-Laurent.

Durant l'été 985, Bjarni est ses hommes sont déroutés par une violente tempête et se voient perdus en mer. C'est par hasard, sur un navire nullement construit pour un si long voyage, que Herjolfsson vogue sur le fleuve aux grandes eaux et qu'il naviguera jusqu'à la grande île d'Hochelaga. Les runes de son récit de voyage prouvent qu'il est entré en contact avec les Amérindiens vivant sur l'île.

Les fées faisant partie de la mythologie des hommes du nord, Bjarni s'amuse à décrire ces petits êtres qui effraient les populations locales comme des sœurs de sang des créatures qu'il a lui-même rencontrées lors de ses voyages en Islande et au Groenland. Pour venir en aide à ses nouveaux amis, le viking installera des pierres runiques tout autour de la forêt ténébreuse afin d'éviter l'étalement de l'emprise féérique sur le territoire, forçant ainsi les fées à se développer verticalement, profondément dans la terre.

Certaines de ces pierres furent découvertes lors de l'installation des premiers rails du chemin de fer. Croyant qu'il s'agissait de vestiges amérindiens, les travailleurs du temps en firent peu de cas et plusieurs d'entre eux réutilisèrent ces mêmes pierres dans la construction de leurs fermes. Ceci explique que des pierres runiques se retrouvent dans tout le sud du Québec, parfois même jusqu'en Estrie.

Ces pierres, aujourd'hui d'une très grande valeur, sont recueillies par des antiquaires qui les vendent à très fort prix aux cercles étasuniens des Wiccas. Ces nouvelles sorcières, inspirées par les légendes des mondes anciens, s'en servent pour se protéger des êtres spirituels maléfiques, mais surtout pour créer des talismans invoquant les forces sidérales élémentaires.

LES FÉES ÉLÉMENTAIRES DU FEU

Lorsque cette énergie est associée à un être humain, elle lui confère une grande mobilité, de l'expansion dans ses idées et sa personnalité, mais aussi une force vitale accrue. Cette force ardente rapproche l'individu de ses impulsions, l'incline au courage, fortifie son esprit d'entreprise, le nourrit d'ambition et d'enthousiasme en plus de favoriser l'extériorisation des sentiments.

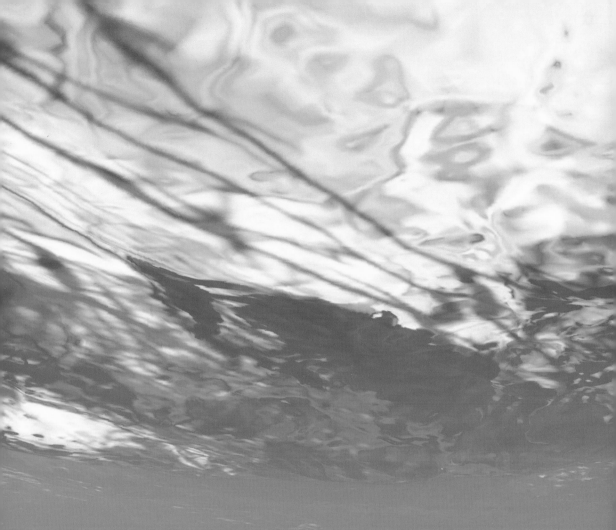

LES FÉES ÉLÉMENTAIRES DE L'EAU

Indisciplinées et de nature vagabonde, nous sommes avec l'eau dans la résistance passive et la fuite. L'énergie de l'eau nous glisse entre les doigts mais, une fois contrôlée, entres autres par le froid, elle est une force de cohésion, de concentration. Elle permet de transformer la vie pour lui donner une autre force, un sens nouveau. Malléable dans sa surface, mais inaltérable dans son volume, cette grande dame de l'adaptation est comme les fées qui la caractérisent: inconstante et entêtée.

LES FÉES ÉLÉMENTAIRES DE LA TERRE

Sagesse, profondeur et patience sont les qualificatifs les plus appropriés afin de décrire les forces telluriques. D'une endurance à toute épreuve, le flux magique qui anime les porteurs du talisman de la terre présente une volonté de fer, une implacable tyrannie et, par principe, ceux-ci peuvent s'infliger les pires tourments sans broncher. Pour vaincre la maladie, perdurer dans le temps ou résister à une souffrance prolongée, la terre est l'élément à maîtriser.

LES FÉES ÉLÉMENTAIRES DE L'AIR

Voici une force qui favorise le déplacement, les réflexes et la rapidité. Plusieurs grands sportifs, notamment au tennis ou au basketball, portent sur eux des tatouages représentant des symboles que l'on associe aux puissances sidérales de l'air. Il s'agit aussi de l'élément préféré des sorcières, car l'air est d'essence profondément féminine. Sensible aux activités psychiques, cet élément excite l'imagination, provoque des visions, fortifie la mémoire et aiguise l'intuition.

DE LA TERRE DES FÉES AU LAC DES FÉES

Devant l'envahissement de leur territoire, les fées réagissent et se défendent. Quand d'imposants travaux d'excavation menés par le groupe Lafarge furent réalisés trop près de la cité souterraine des fées, celles-ci lancèrent quelques avertissements aux travailleurs de la carrière, notamment de la part de fées calorifiques !

Les calorifiques sont versées dans la mécanique et elles comprennent les nouvelles technologies. À l'origine, elles sont actives dans les moteurs d'automobile ou de camion. Elles s'amusent à arrêter les moteurs, à vider les réservoirs de leur carburant ou à provoquer mille petites pannes agaçantes. Depuis leur apparition au

début de l'ère industrielle, les calorifiques ont émigré dans d'autres types de machines tels les appareils ménagers et les ordinateurs.

Les attaques constantes des calorifiques ne suffirent pas à décourager l'entrepreneur et à déstabiliser sa puissante machinerie. La reine des fées se vit alors contrainte de demander aux élémentaires des forces aquatiques de noyer la carrière, ce qui fut rapidement fait. En quelques semaines, l'eau monta tant et si bien qu'une excavatrice, que les travailleurs n'eurent pas le temps de sauver, est encore bien présente au fond du lac. Elle se décompose aujourd'hui sous le regard satisfait des calorifiques qui la considèrent comme un trophée de guerre.

ÉTUDES SUR LE TERRAIN

COMMENT ENVISAGER LA VIE EN COMPAGNIE DES FÉES DE SAINT-CONSTANT

Tout d'abord, il faut savoir que les fées de Saint-Constant ne sont pas bonnes ou mauvaises, mais qu'elles disposent d'une moralité différente de celle des êtres humains. Celles-ci considèrent parfois des actes ou des choses, qui ne seraient que peccadilles aux yeux des hommes, comme d'une absolue priorité. Les fées s'attardent aux détails, aux petites choses anodines. Ainsi, elles peuvent réagir très fortement si une fleur est piétinée ou si un caillou se trouve déplacé d'une manière irrespectueuse. Cependant, elles restent invisibles ou très calmes lors de travaux majeurs comme le passage d'une route ou la construction d'un bâtiment à logement non loin de leur territoire.

Les fées de Saint-Constant sont territoriales mais, depuis quelques années, elles s'ouvrent au monde qui les entoure. Pourquoi maintenant? Sans doute parce que leur arme la plus puissante est la manipulation du temps et qu'elles peuvent, selon leurs désirs, réparer les erreurs ou rétablir les situations problématiques. Il faut bien se rendre compte d'une chose: les fées de Saint-Constant ont décidé de se laisser approcher, de se faire connaître, et elles ont accepté d'être étudiées parce qu'elles ont des raisons de croire que c'est maintenant nécessaire. Sur une planète de plus en plus menacée par le réchauffement climatique, les fées apparaissent soudainement pour nous entretenir de la beauté du monde et pour nous rappeler l'importance de la nature dans l'équilibre de la vie sur terre.

Les fées de Saint-Constant se rendent visibles et témoignent ainsi de l'interdépendance entre le monde magique et le monde réel. Pour cette raison, ces fées ne sont plus à craindre comme jadis elles l'ont été! Malgré leur passé ténébreux et leur volonté primaire de fuir les regards, elles sont aujourd'hui dans une logique de partage, de découverte et d'éducation. Les frontières du royaume sont ouvertes. Profitons-en avant qu'elles les referment ou qu'elles changent d'idée!

LA CITÉ DE FELLAS, SOUS LA TERRE DE SAINT-CONSTANT

Construite sous la terre dans une grotte et placée tout juste sous un lac artificiel, la cité est plutôt sombre pour un peuple qui célèbre si bien la lumière. Certaines fées construisent leurs quartiers dans les veines calcaires avec un matériau fait de cellulose et lignine issues de bois digéré, parfois plus ou moins lié par des particules de terre. Ces chambres d'apparence fragile évoquant certains nids de frelons de type cartonneux ont des formes variées selon les goûts de leurs conceptrices. Ces constructions résistent en fait très bien à l'humidité, aux racines, aux tremblements de terre ainsi qu'aux nombreuses infiltrations d'eau.

La structure de Fellas, construite et entretenue par les fées, est conçue pour une ventilation passive et le maintien d'une température optimale. Les formes et structures des bâtiments sont très variées et d'allure primitive. Ces monticules peuvent atteindre six mètres de haut et leur diamètre à la base, jusqu'à trente mètres. Certaines maisons de fées se couvrent de végétaux poussant sous la lumière artificielle de lampes à l'huile de rosiers. Nos études ont montré que ces habitations sont favorables à une meilleure productivité du sol associée à la rhizosphère et à la drilosphère.

Une cité comme Fellas est source de richesses organiques et minérales, lesquelles constituent un îlot de fertilité. Elles sont utiles à la bonne conservation de la matière organique du sol, abritant une communauté microbienne différente du sol environnant. Elles ont une activité dénitrifiante dix-huit fois plus élevée que celle du sol local. Ces particularités expliquent en partie la présence des cercles de fées.

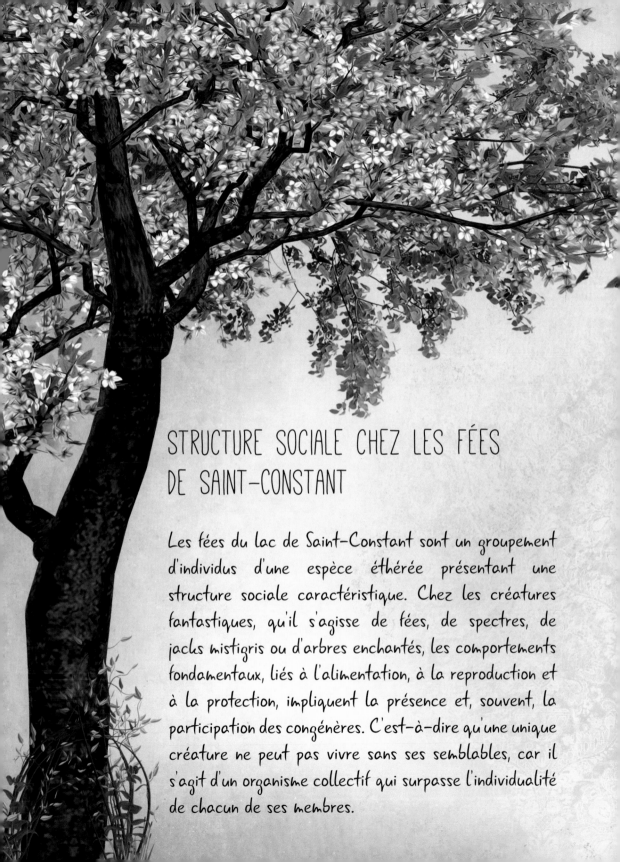

STRUCTURE SOCIALE CHEZ LES FÉES DE SAINT-CONSTANT

Les fées du lac de Saint-Constant sont un groupement d'individus d'une espèce éthérée présentant une structure sociale caractéristique. Chez les créatures fantastiques, qu'il s'agisse de fées, de spectres, de jacks mistigris ou d'arbres enchantés, les comportements fondamentaux, liés à l'alimentation, à la reproduction et à la protection, impliquent la présence et, souvent, la participation des congénères. C'est-à-dire qu'une unique créature ne peut pas vivre sans ses semblables, car il s'agit d'un organisme collectif qui surpasse l'individualité de chacun de ses membres.

La vie sociale des fées de Saint-Constant se structure à travers la communication entre les individus, les échanges de signaux et d'informations. À partir de ces échanges se créent puis se dénouent des liens privilégiés. Temporaires ou durables, ceux-ci unissent les individus et constituent l'ossature de la vie en société.

À l'intérieur des groupes sociaux, on peut voir émerger la diversité et la spécialisation: diversité des individus, des liens et des fonctions, spécialisation des rôles et des tâches. La spécialisation apparaît clairement dans les sociétés de fées qui abritent gardiens, fourrageurs, soigneurs, etc. On sait aujourd'hui cependant que chaque « spécialiste » possède une certaine souplesse comportementale lui permettant de participer à diverses tâches. La cohésion du groupe social est garantie par l'importante dépendance de l'individu pour ce groupe. Elle s'impose également dans le cas d'une menace extérieure, représentée par une autre société limitrophe et concurrente ou par les prédateurs.

FÊTES ET DATES IMPORTANTES

CHEZ LES FÉES
DE SAINT-CONSTANT

Les fées sont de petites créatures festives qui adorent s'amuser. Il existe dans leur culture une multitude de fêtes et d'événements pouvant être observés par les humains pour autant que ces observations soient menées dans le respect.

L'IMBOLC — LE 2 FÉVRIER

Lors de cette première fête de l'année nouvelle, les fées anticipent l'arrivée du printemps et commencent à célébrer le réveil de la terre. Dans la langue des fées, IMBOLC signifie : « au centre du ventre ». Cette célébration est un hommage à la natalité ainsi qu'à la fécondation. Lors de ce festival, les fées accrochent de petites lumières dans leurs habitations et pratiquent sans dormir des activités de couture, de peinture, de poésie et de chant traditionnel. C'est à ce moment qu'elles allument une vasque du feu sacré, dans un type de braséro magique, qui brûlera jusqu'à l'arrivée de l'hiver. L'IMBOLC célèbre la fin de la période de dormance et le début du retour de la vie.

LE BLOOMTON — LE 21 MARS

Cette date qui marque l'équinoxe du printemps donne aux fées l'énergie nécessaire pour faire croître les premières pousses des fleurs. Lors de cette célébration où les fées revêtent des costumes aux couleurs et aux formes de leurs fleurs préférées, une variété de fleurs est officiellement choisie afin de représenter le royaume durant l'année entière.

Depuis les dernières années, les fées de Saint-Constant choisissent systématiquement la même : la clématite. On donne également le surnom de «Reine des lianes» à la clématite. Ce sont des plantes grimpantes semi-ligneuses.

Il en existe près de 300 variétés. On les retrouve partout dans le monde et elles sont généralement cultivées en raison de leur abondante floraison et de leur valeur décorative. Un excellent choix pour célébrer la diversité des couleurs et des formes chez les fées tout en respectant une lignée commune entre elles.

LA BELTANE — LE 30 AVRIL

De toutes les fêtes féériques, la BELTANE est la plus joyeuse, car elle souligne la beauté naissante de la nature. C'est la célébration de la couleur verte et de la chlorophylle, et c'est aussi l'unique date où les mariages spirituels entre certains animaux et leur fée protectrice sont consacrés.

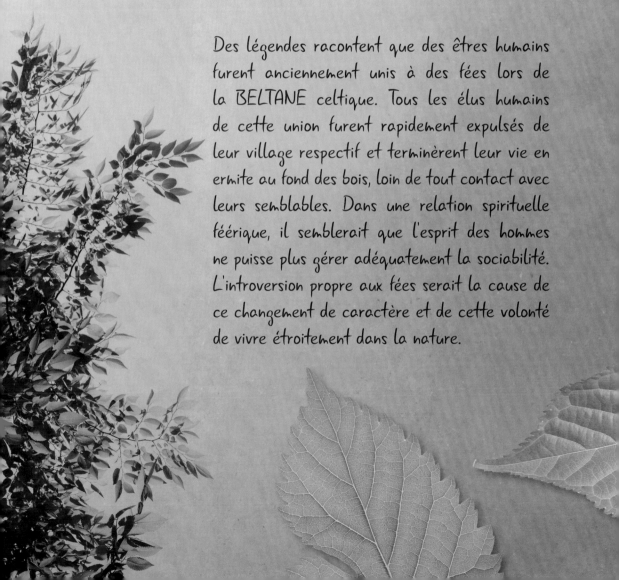

Des légendes racontent que des êtres humains furent anciennement unis à des fées lors de la BELTANE celtique. Tous les élus humains de cette union furent rapidement expulsés de leur village respectif et terminèrent leur vie en ermite au fond des bois, loin de tout contact avec leurs semblables. Dans une relation spirituelle féérique, il semblerait que l'esprit des hommes ne puisse plus gérer adéquatement la sociabilité. L'introversion propre aux fées serait la cause de ce changement de caractère et de cette volonté de vivre étroitement dans la nature.

Cependant, les quelques femmes qui furent anciennement unies spirituellement à des fées constituent aujourd'hui un répertoire impressionnant de sorcières. La Sorcée rouge en est un exemple ainsi que Mélusine, Morgane, « Adèle la sorcière » (première sorcière brûlée vive en Europe), Agnes Sampson (étranglée puis brûlée le 28 janvier 1591 à Édimbourg) et Anna Göldin (décapitée le 13 juin 1782 à Glarus, en Suisse).

LE MIDSUMM — LE 22 JUIN

Il s'agit du moment de l'année où les fées sont plus occupées, mais aussi celui où elles sont le plus facilement observables. Affublées d'un halo de lumière que leur donne naturellement la présence accrue des rayons solaires, les fées sortent de chez elles et explorent le monde autour du royaume.

Pendant cette célébration où le mouvement est à l'honneur, les fées recueillent, dans tous les parcs et les jardins ainsi que sur le bord de toutes les routes et dans les boisés, un inventaire de ce qui pousse, vit et s'active autour d'elles.

Nos travaux nous ont même conduits à un petit livre où sont recensés tous les enfants de Saint-Constant, leur âge ainsi que leur attachement ou non à la nature. Cette troublante découverte nous force à croire que les fées connaissent beaucoup mieux les habitants de Saint-Constant que ceux-ci ne le pensent.

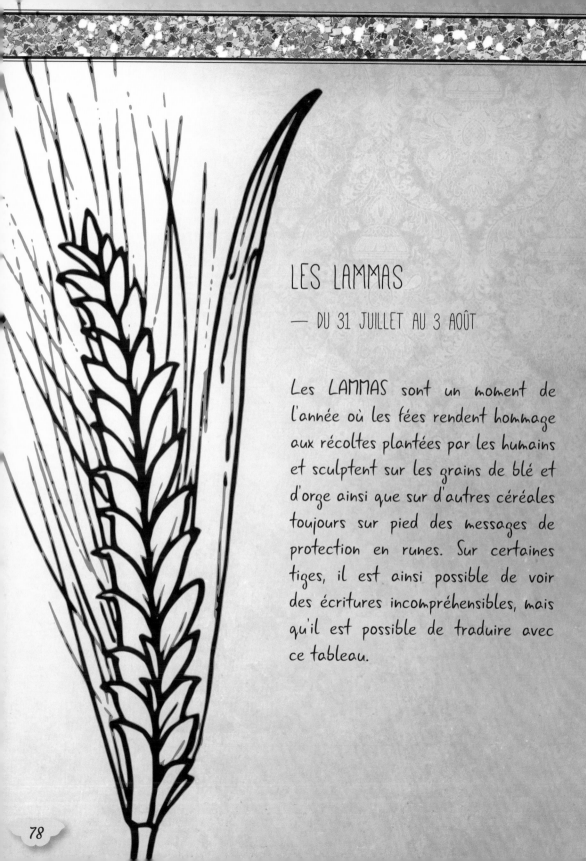

LES LAMMAS

— DU 31 JUILLET AU 3 AOÛT

Les LAMMAS sont un moment de l'année où les fées rendent hommage aux récoltes plantées par les humains et sculptent sur les grains de blé et d'orge ainsi que sur d'autres céréales toujours sur pied des messages de protection en runes. Sur certaines tiges, il est ainsi possible de voir des écritures incompréhensibles, mais qu'il est possible de traduire avec ce tableau.

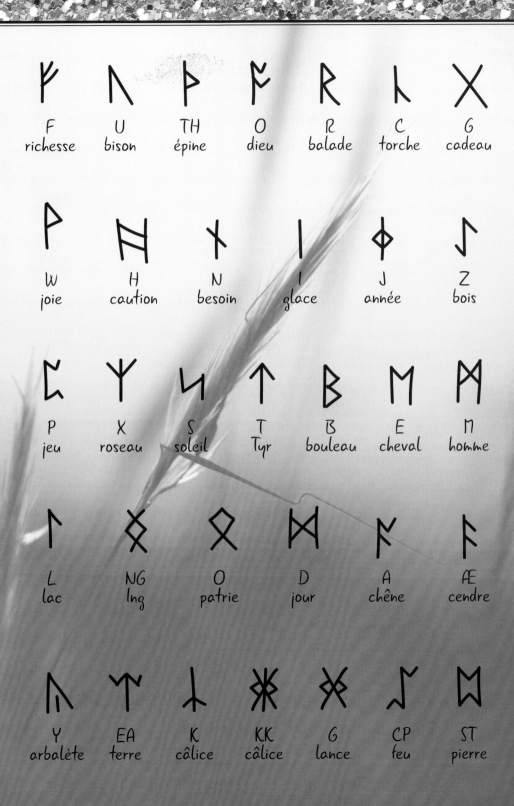

| F richesse | U bison | TH épine | O dieu | R balade | C torche | G cadeau |

| W joie | H caution | N besoin | I glace | J année | Z bois |

| P jeu | X roseau | S soleil | T Tyr | B bouleau | E cheval | M homme |

| L lac | NG lng | O patrie | D jour | A chêne | Æ cendre |

| Y arbalète | EA terre | K câlice | KK câlice | G lance | CP feu | ST pierre |

LE SAMHAIN — LE 31 OCTOBRE

Cette célébration, qui marque la fin des récoltes, ressemble davantage à des funérailles qu'à une joyeuse fête. Le retour au froid et aux ténèbres plonge les fées dans une période de dormance. Lentement, une à une, celles-ci s'éteignent en s'agglutinant.

Après un dernier repas constitué de leurs réserves des meilleurs pollens, elles soufflent solennellement les lampes à l'huile de rose qui assurent la luminosité de la cité, puis baillent à tour de rôle avant s'endormir. La reine, demeurant la seule fée éveillée, veille au repos de ses ouailles et gardera, tout l'hiver dans un demi-sommeil, la cité.

TYPE DE FÉES

LA REINE DES LIANES, associée à la clématite

FÉE DE LA TERRE

La reine facilite une certaine unité dans Fellas, une harmonie dans la colonie entre les quelque trois mille fées qui cohabitent dans cet espace clos. Elle veille au maintien des forces vitales qui circulent dans la cité, à la cohésion du travail et à la protection des frontières.

Tout habillée de blanc, la reine est splendide et, comme la clématite dont elle est issue, il lui arrive régulièrement de se teinter de jaune, de rouge ou de violet. En fait, elle change de couleur selon ses désirs, les enjeux politiques et les menaces. Toutes les fées se réjouissent que la reine florale se présente sous des couleurs variées traduisant très bien les valeurs de diversité de la communauté.

C'est une reine joyeuse et très robuste qui, bien implantée dans le royaume depuis plusieurs décennies, semble promouvoir des principes éthiques très durables.

On donne également le surnom de « Reine des lianes » à la souveraine, car les lianes ont comme fonction d'entourer et d'unir, de créer des liens en plus que d'étendre leurs branches, un signe d'ouverture aux autres chez les fées.

LES PROTECTRICES OU FÉES DES ÉPINES,
associées aux chardons

FÉES DE
L'AIR

Les protectrices du royaume sont nombreuses et se retrouvent à des endroits insoupçonnés. Au-dessus de leur cité, elles nagent sur le lac sous forme de canards sauvages et surveillent, sans jamais se faire découvrir, les allées et venues des passants. Parfois, elles se fondent aussi aux étourneaux afin d'observer l'activité humaine hors des frontières de Fellas.

Seules fées à plumes de la cité, elles sont régulièrement brunes, pouvant admirablement se fondre avec les pigments des arbres, de la terre, des herbes hautes ainsi que des buissons. La nature est un milieu redoutable où un prédateur peut vous attendre dans chaque recoin. Pour échapper à un destin funeste, certaines fées ont développé des stratégies étonnantes parmi lesquelles le camouflage. En changeant de couleur ou d'aspect, ces petites créatures parviennent à se fondre complètement dans leur environnement et ainsi échapper aux yeux de leurs prédateurs ou de leurs proies.

Dans le cas d'un mauvais camouflage et d'un combat corps à corps, la fée protectrice piquera son adversaire de l'une de ses nombreuses lances ou dagues. Les armes des fées étant souvent enduites de leur propre salive, elles peuvent créer une réaction allergique de la peau, rendant la zone autour de la morsure rouge, couverte de démangeaisons et parfois gonflée. La douleur et les démangeaisons peuvent rester pendant quelques jours.

La gravité de la réaction, cependant, dépend de la sensibilité de la personne mordue. Si la personne est allergique à la salive de fées, il peut y avoir une réaction allergique générale légère à sévère. C'est la réaction d'hypersensibilité ou anaphylaxie. Cela nécessite un traitement médical immédiat et même l'hospitalisation pour éviter la mort.

Elles apparaissent le matin très tôt sur le lac, juste avant le lever du soleil, et disparaissent ensuite dès les premiers rayons. De forme vaporeuse, elles sont gracieuses et pâles, tellement envoûtantes qu'il est impossible d'en détacher le regard. Leurs voix, lointaines et chevrotantes, chantent les vertus du nouveau jour et bénissent d'un long mantra aux accents orientaux les bienfaits de la vie. Diaphanes dans leur tunique de brume, elles sont en réalité les spectres des fées mortes depuis l'aube des temps. Dans ce court moment, ces petits fantômes reviennent pour célébrer la beauté de la vie dont elles s'ennuient. Certaines légendes racontent que ce sont leurs larmes qui forment la rosée du matin et que, sans elles, sans cette action hautement bénéfique, les végétaux ainsi que les animaux auraient du mal à survivre.

La rosée des fées aurait, selon nos recherches, un effet bénéfique sur les êtres humains. La marche dans l'herbe humide favoriserait une bonne circulation sanguine et augmenterait la chaleur corporelle, notamment des pieds. Cette eau miraculeuse inciterait les humains à un meilleur équilibre émotif durant la journée ainsi qu'une stimulation de l'esprit équivalant à une heure de méditation.

LES TENDRES DAMES DE LA CHLOROPHYLLE,
associées au feuillage des arbres

Longues et fines comme des brins de gazon, elles sont d'un vert tendre qui rappelle les premières pousses du printemps. Toujours en mouvement, ces fées sont très difficiles à voir pour un novice dans l'observation de la nature. Il faut attendre longtemps, sans bouger, afin d'espérer les voir s'activer autour des feuilles malades ou malformées.

Infirmières des arbres, les tendres dames activent par leur unique présence la bonne circulation de la sève et sa juste répartition des racines jusqu'aux bourgeons. En première ligne lorsqu'une maladie ou une infection arboricole est repérée, ces fées, dont le corps sécrète un antiseptique naturel très puissant, se frottent sur l'écorce des arbres afin de les enduire du précieux remède. Si, par malheur, les tendres dames n'arrivent pas à guérir un arbre de sa maladie, celles-ci se retirent et laissent les pics commencer leur travail de mise à mort. Cette proximité avec les ravageurs cause parfois des malentendus, car les oiseaux, trop pressés d'extirper les larves d'un arbre malade, s'attaquent parfois à un arbre sans en avoir la permission. Les fées deviennent alors très agressives et demandent à une chouette de faire le guet. La présence du rapace fait tout de suite fuir les oiseaux trop gourmands.

Les
fées qui participent
à la décomposition des
matières organiques sont très utiles, et
même nécessaires, car elles permettent de
défaire les tissus biologiques pour les
retourner en minéraux et autres éléments
nécessaires aux végétaux. Elles éliminent ainsi les
matières nocives pour les animaux ou même mortelles,
puis en font des boules sous la terre que l'on nomme
des spores. Une fois implantées, les spores croissent
et deviennent des champignons. Ceux-ci vont à leur
tour produire des spores sous leur chapeau.
Ce chapeau peut être constitué de lamelles,
de plis, de tubes ou d'aiguillons.
C'est une cachette parfaite
pour les minérales.

On dit
que c'est grâce au
travail de ces fées qu'il
existe une diversité si grande
chez les champignons.

Selon les saisons,
les besoins de la terre et les
nécessités de la colonie, ces fées créent
tous les ans de nouvelles spores qui
explosent en formes, en couleurs et en
textures les plus diverses. Une fois
créé, le champignon demeure et
s'étend sur la terre.

Comme les fées qui y sont associées, la berce du Caucase représente un certain danger, car le contact avec sa sève, tout comme avec une calorifique, peut causer de graves brûlures.

Les fées liées à cette plante sont faciles à reconnaître. Elles ont la couleur de la rhubarbe, une imposante marque tachetée de rouge sur le front et, à la mi-juillet, de petits chapeaux blancs et mauves vont recouvrir leur tête. Ce sont des fées qui ressemblent à de petits parapluies.

Issues de l'élément du feu, elles sont capables d'endurer des chaleurs extrêmes et elles sont même attirées par la chaleur artificielle. Elles peuvent ainsi trouver refuge dans les moteurs, les ordinateurs et même les téléphones portables. On prétend même qu'elles sont responsables de l'explosion de certaines piles de cellulaires qui prennent spontanément feu.

LES FÉES-MUSES,
associées à la gaulthérie couchée ou thé des bois

Les fées-muses ont pour mission d'inspirer la beauté et de créer chez les humains les conditions nécessaires à la contemplation. Voilà pourquoi elles ont la responsabilité d'introduire dans le thé des bois, largement consommé depuis des siècles par les guides spirituels autochtones et les chamans, des philtres spirituels aidant à la méditation et au repos de l'esprit. On les retrouve souvent derrière ce petit arbuste couvre-sol.

Sous le tapis de feuilles ovales persistantes et luisantes d'une dizaine de centimètres de haut, vert foncé en été et un peu pourprées en hiver, elles travaillent à engraisser les racines d'extraits de Mnémosyne qui activent la mémoire, de potions de Clio pour l'observation du patrimoine, de graines d'Euterpe pour la sensibilité musicale, de pépins de Thalie, un euphorisant, de concoctions de Melpomène afin de solidifier le cœur, du parfum Terpsichore pour alléger les pieds et finalement d'Érato moulue et d'une bonne dose de Calliope pour tenir le tout dans un ver capable de percer les tiges et envahir les feuilles de cette préparation.

D'ailleurs, grâce à cette inoculation, les feuilles du thé des bois dégagent une odeur agréable quand on les écrase. Au printemps, de petites fleurs en clochettes apparaissent. Elles sont le résultat d'une macération interne. On les découvre blanches, parfois avec une touche de rose, et elles sont légèrement parfumées.

Il va sans dire que la consommation régulière du thé des bois, en tisane ou sous une autre forme, est une des façons d'entrer en contact avec les fées de Saint-Constant.

Ces fées connaissent tout sur les plantes qui guérissent! Une mérindole connaît les propriétés, la posologie, les précautions d'emploi et la période de récolte de chaque plante. Ces fées s'activent tous les jours à étudier, disséquer et comprendre la diversité de la pharmacopée naturelle. Les mérindoles sont aussi responsables de nourrir leurs consœurs des meilleurs aliments qui soient. Elles préparent des banquets de nourriture immatérielle tels des parfums de mets, des plats composés à l'essence des choses, des desserts aux filaments de nuages, des sautés à l'étoffe des rêves et beaucoup de consommés à l'air du temps, mais leur spécialité demeure les créations complexes aux couleurs des saisons et à la rosée du matin.

D'ailleurs, les mérindoles préparent pour bientôt une publication destinée aux humains sur la bonne utilisation des plantes médicinales.

Ces fées résident dans les arbres aux essences plus nobles. Elles fréquentent l'érable, le chêne, le hêtre, mais on les retrouve aussi parfois dans les ramages du bouleau jaune dont elles aiment particulièrement l'écorce douce et légère. Petites et très discrètes, elles ressemblent à de jolies jeunes filles dont les bras et les jambes dessinent des arabesques imitant le mouvement des branches dans le vent. Ce sont les protectrices des arbres et, contrairement aux hamadryades qui font corps avec un seul arbre en particulier, les méliades se promènent librement et sautent d'un feuillage à un autre. Bien que les unions entre les fées et les êtres humains soient plutôt catastrophiques, ce sont les méliades qui peuvent prendre une apparence humaine et charmer les hommes. Elles sont décrites dans d'autres cultures et à une autre époque comme des nymphes.

LES NYMPHES

Toi, tu dois les aimer, les grands ciels de septembre
Profonds, brûlants d'or vierge et trempés d'outremer.
Où dans leurs cheveux roux les naïades d'Henner
Tendent éperdument leur buste qui se cambre.

La saveur d'un fruit mûr et la chaleur de l'ambre
Vivent dans la souplesse et l'éclat de leur chair,
Et le désir de mordre est dans leur regard clair,
Dans l'étirement âpre et lassé de leur membre.

Leur prunelle verdâtre, où nagent assombris
Le reflet de la source et le bleu des iris,
A le calme accablant des lentes attirances.

On rêve des baisers qui seraient des souffrances,
Des hymens énervants et longs, les reins taris...
Ô nymphe, ô source antique aux froides transparences !

Jean Lorrain (1855-1906)

LES HAMADRYADES,
associées à toutes les plantes et tous les arbres.

FÉES DE L'AIR

FÉES DE LA TERRE

FÉES DE L'EAU

FÉES DU FEU

Les habitantes de Fellas sont en majorité des Hamadryades. Celles-ci constituent environ 90 % de la population et sont de formes, de couleurs et d'allures diverses. Il faut savoir que les hamadryades naissent avec un arbre ou une plante et meurent avec lui, contrairement à toutes les autres fées qui sont la fondation de la cité et qui traversent le temps sans se soucier de vieillir ou de mourir.

Ainsi, à cause de leur plante de naissance et de leur génétique particulière, les hamadryades sont impossibles à décrire, car trop nombreuses et trop diversifiées. Leur tâche consiste à accompagner, jusqu'à la mort, les plantes vivaces ou saisonnières qui naissent dans le royaume. Elles sont là pour les soigner et les préserver, et elles n'ont d'intérêt que pour leur protégé. Chez les hamadryades, la survie n'est pas un enjeu, car leur esprit possède la pérennité que leur corps, trop fragile, ne peut soutenir. Les petites fées renaissent ainsi sans cesse et il n'est pas rare de les voir mourir et renaître plusieurs fois par saison. Elles réapparaissent alors sous des formes différentes, mais continuent inlassablement leur tâche de protection des espèces et de biodiversité de la forêt.

MESSAGE DE LA REINE
AU PEUPLE DE SAINT-CONSTANT

Certains prétendent que les fées sont les âmes errantes de défunts qui espèrent le jour du jugement dernier afin de renaître à la vie. D'autres encore affirment que nous sommes les réminiscences d'un peuple très ancien de Mongolie, qui se serait répandu à travers le monde pour vivre en paix. On raconte que nous nous cachons dans les grandes forêts, loin des humains, mais il n'en est rien car, en réalité, nous sommes la preuve vivante de l'existence d'une force vitale et omniprésente de l'univers. Et nous vivions ici, tous les jours, en votre compagnie.

Les fées partagent le respect et l'amour de la nature. Elles con-sidèrent les forêts, les rivières, les mers et les prairies comme des temples. Les fées ne font aucune différence entre le monde matériel et le monde spirituel.

Aujourd'hui, nous venons vers vous, sous les étoiles, en l'honneur des anciens et de leurs pratiques magiques, et nous célébrons cette union entre Fellas et Saint-Constant, pour rendre hommage à la nature et ses mystères.

Bienvenue dans notre temple.
À bientôt, dans le vôtre.

LA REINE DES LIANES

BIBLIOGRAPHIE

ASSINIWI, Bernard, *Windigo et la naissance du monde*, Gatineau, Les Éditions Vents d'Ouest, 1998, 153 p.

BERTRAND, Bernard, *Histoires et légendes des arbres et arbustes. L'herbier boisé*, Toulouse, Plume de carotte, 2007, 198 p.

DUBOIS, Pierre, *La grande encyclopédie des fées et autres petites créatures*, Paris, Hoëbeke éditeur, 2008, 184 p.

FARRAH, Joël, *La Wicca. Une religion qui s'inspire des cycles de la nature*, Outremont, Les éditions Québécor, 2004, 136 p.

FROUD, Brian et Alan LEE, *Les Fées*, Paris, Éditions Albin Michel, 1979.

LACOMBE, Benjamin et Sébastien PEREZ, *L'Herbier des Fées*, Paris, Éditions Albin Michel, 2011.

LAKE-THOM, Bobby, *Call of the Great Spirit, The Shamanic Life and Teachings of Medicine Grizzly Bear*, Rochester, Bear & Co, 2001, 244 p.

MOOREY, Teresa, *The Fairy Bible*, New York, Sterling Publishing Co, 2008, 400 p.

POORTVLIET, Rien et Wil HUYGEN, *Secrets of the Gnomes*, New York, Ballantine Books, 1981.

Société de cryptozoologie de Londres, *Histoire naturelle du monde surnaturel*, Paris, Éditions Hors Collection, 2001, 224 p.

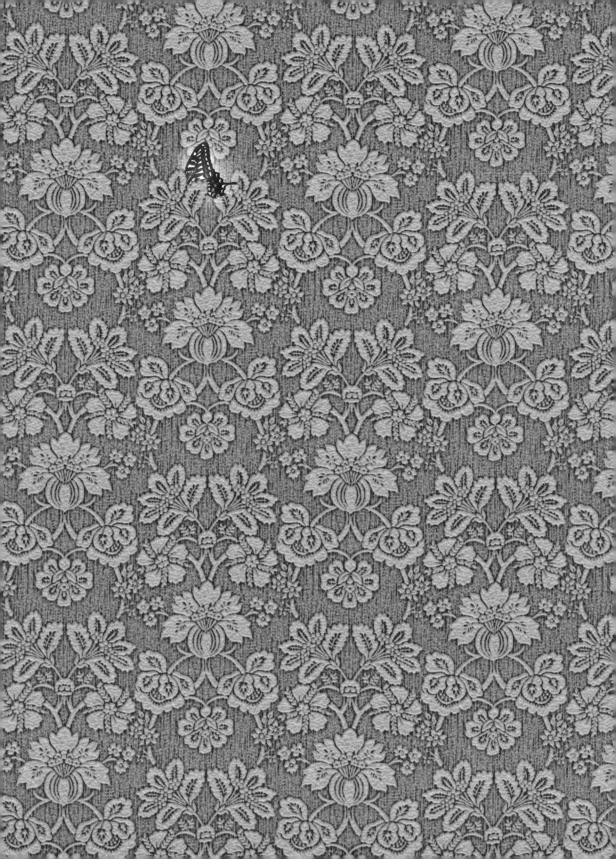